Initiation à la sci

La technologie

Robin McKie — François Carlier

Gamma – Trécarré

Introduction

Des sciences telles que la physique et la chimie tâchent de découvrir les lois qui régissent le comportement des choses : un physicien désire savoir ce qui fait agir un aimant, et un chimiste cherche à comprendre pourquoi deux corps chimiques réagissent ensemble comme ils le font. Tous deux tentent d'en savoir plus sur le monde dans lequel nous vivons.

La technologie commence lorsque les savants et les ingénieurs appliquent leurs découvertes scientifiques à l'usage pratique : par exemple la construction d'une voiture plus sûre, ou une façon nouvelle de produire de l'énergie. Ceci prend souvent du temps. Lorsque l'électricité fut découverte à la fin du siècle passé, on la considéra d'abord comme un « jouet » des savants : pendant des années, personne ne lui trouva un usage pratique. De même, le premier laser fut construit en 1960, mais ce ne fut qu'au cours des années 1970 que des lasers commencèrent à être utilisés largement comme instruments en médecine, dans les sciences et dans l'industrie.

Presque toutes les choses que nous voyons autour de nous ont derrière elles un fond de technologie, qu'il s'agisse d'une voiture, d'un ordinateur ou de quelque chose d'aussi courant qu'un stylo à bille ou une boîte de haricots en conserve. Le domaine de la technologie est vaste, et l'espace limité de ce livre ne permet d'en aborder que les domaines principaux qui touchent notre vie quotidienne.

Comme nous le verrons, les divers secteurs de la technologie moderne sont étroitement liés les uns aux autres. Ainsi, le développement de technologies nouvelles pour l'exploration spatiale entraîna le perfectionnement des ordinateurs, et cette nouvelle technologie des ordinateurs fut appliquée dans quantité de domaines, tels que la médecine, l'industrie, l'agriculture et l'enseignement. Enfin, toutes les technologies ont besoin d'une source d'énergie pour fonctionner, et la production de cette énergie demande aussi une technologie avancée.

La construction d'une voiture familiale révèle la technologie complexe qui se trouve derrière tout objet de la vie courante. Des minerais doivent d'abord être extraits du sol et ensuite traités, pour fournir les métaux nécessaires. Puis chaque pièce doit être fabriquée et envoyée à la chaîne de montage principale. À l'arrière-plan se trouvent les créateurs du modèle et les experts de la sécurité, les producteurs des combustibles, et les spécialistes des ordinateurs employés dans la construction du véhicule. Tous les outils et instruments qui ont servi dans cette préparation furent réalisés eux-mêmes grâce à des technologies. La voiture achevée est le produit de multiples technologies qui ont travaillé ensemble.

Extraction des minerais

Traitement du métal

Sommaire

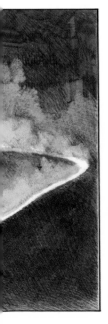

Techniques de construction

Le produit fabriqué

Un monde technologique

La technologie effectue le plus de progrès quand elle doit répondre à un besoin précis. Il s'agit par exemple de la réalisation d'une forme plus économique de transport aérien, ou de la production de nouveaux médicaments pour combattre une maladie. Quand le but est clair, la technologie peut se développer pour l'atteindre.

Au début des années 1970, on commença à se rendre compte à quel point le monde moderne avait besoin de pétrole comme combustible et source d'énergie, alors que les réserves connues commençaient à s'épuiser. On se mit donc à rechercher de nouveaux gisements de pétrole, et de nombreuses technologies différentes furent mises en œuvre pour résoudre ensemble ce problème.

Le pétrole se trouve dans les profondeurs de l'écorce terrestre, et souvent en des lieux très inhospitaliers du globe. L'observation de la surface terrestre par des satellites et l'analyse des informations recueillies à l'aide d'ordinateurs permirent de repérer des sites de gisements possibles. La mer du Nord semblait un endroit prometteur, mais des plates-formes de forage n'avaient jamais été utilisées en des mers aussi agitées. On élabora de nouvelles méthodes de construction des plates-formes, et des modèles conçus par des ordinateurs furent utilisés pour étudier les efforts auxquels les plates-formes devraient résister dans la réalité.

Les plates-formes de forage sont maintenant en activité dans la mer du Nord, mais les ingénieurs travaillent déjà à des projets futurs. Des gisements de pétrole importants se trouvent peut-être sous des profondeurs d'eau qui dépassent les possibilités des plates-formes actuelles. Il faudrait utiliser alors de grands caissons sous-marins, et la technologie qu'ils requièrent est déjà préparée.

▷ La plate-forme de production du gisement pétrolier Magnus, en mer du Nord, est la plus grande structure d'acier du monde. Sa fabrication, son montage, son placement et sa mise en activité constituent un des exploits les plus ardus que la technologie de la construction ait eus à réaliser jusqu'à présent.

Le lien des technologies

Les satellites ne sont pas employés seulement au stade de la détection des gisements : les signaux radio des satellites de navigation permettent de placer exactement les plates-formes en pleine mer. La technologie des ordinateurs aide à construire la plate-forme et assure la sécurité de son fonctionnement, en contrôlant le flux du pétrole et d'autres facteurs. Diverses technologies interviennent ensuite, car il faut pomper le pétrole vers la côte, puis le raffiner pour obtenir de l'essence et d'autres produits utilisables.

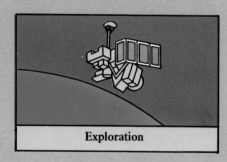

Exploration

Analyse

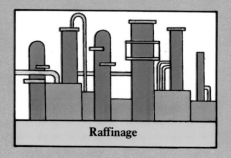

Raffinage

Emploi

Le pompage du pétrole

Plate-forme de production

Oléoduc

Tête de puits sous-marine

Tige de forage

Pétrole et sable

Gaz

Pétrole

Eau

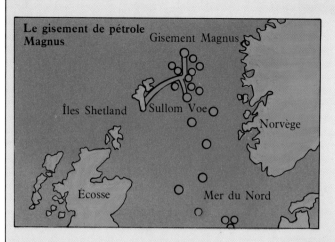

Le gisement de pétrole Magnus

Gisement Magnus

Îles Shetland

Sullom Voe

Norvège

Écosse

Mer du Nord

Le gisement de pétrole Magnus est situé le plus au nord parmi ceux de la mer du Nord, et il entra en activité le dernier. Il comprend huit puits distincts, reliés à la plate-forme centrale, et un oléoduc sous-marin long de 92 km amène le pétrole à Sullom Voe, dans les îles Shetland (Écosse). Cet oléoduc est enfoui dans le sable du fond et recouvert de béton, pour le maintenir solidement et pour isoler le pétrole du froid de l'eau de mer.

À Sullom Voe, le pétrole est conservé dans de grands réservoirs, avant d'être embarqué dans des pétroliers et transporté vers les raffineries.

Les gisements de pétrole se trouvent dans certains types de formations rocheuses. Le pétrole brut est souvent mélangé à de petits grains de sable, et il flotte sur une couche d'eau souterraine. Il est surmonté généralement d'une poche de gaz naturel. Pour atteindre le pétrole, on creuse le sol au moyen d'une tige de forage terminée par un trépan. Quand le pétrole arrive, on place une tête de puits · sur le fond de la mer : elle contient des pompes et des soupapes qui règlent son écoulement vers l'oléoduc principal. Des ordinateurs en contrôlent le flux, la température et la pression.

Installations de stockage de Sullom Voe

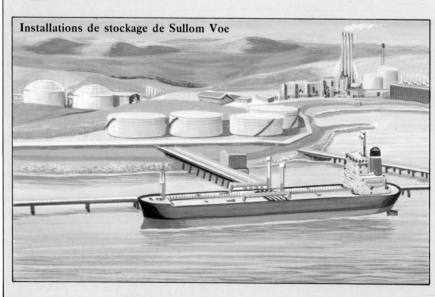

Le raffinage

Le pétrole brut contient toutes sortes de produits chimiques et d'impuretés. Le raffinage permet d'isoler ses composants fondamentaux. Il y a deux types principaux de raffinage : la distillation et le cracking (ou craquage). Dans la distillation, le pétrole est bouilli jusqu'à ce que ses trois quarts environ deviennent gazeux. Ces gaz s'élèvent dans une colonne de distillation et se condensent à ses divers niveaux, où ils sont recueillis sous forme liquide dans des baquets de distillation. Les composants les plus légers, tels que l'essence et le kérosène, se condensent en haut de la colonne, et les plus lourds restent plus bas. Le craquage est un procédé physico-

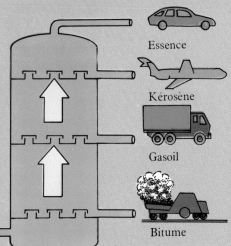

Essence

Kérosène

Gasoil

Bitume

chimique qui brise les molécules lourdes du pétrole brut en d'autres plus légères, utilisables comme combustibles ou pour la fabrication de plastiques et d'autres produits chimiques.

Une raffinerie de pétrole

Le pétrole constitue une matière chimiquement très riche, et il est dommage de l'utiliser seulement comme combustible. L'industrie pétrochimique peut en tirer quantité de produits.

Produits issus du pétrole

La plupart des gens ne voient dans le pétrole qu'une source d'énergie : ils pensent à l'essence qui fait rouler les voitures, au kérosène utilisé par les avions, et au fuel qui sert au chauffage central des maisons et à la production d'électricité dans les centrales électriques. Mais le pétrole brut est également la source d'une variété étonnante de produits utilisés dans la vie quotidienne. À partir des matières fournies par les raffineries de pétrole, l'industrie pétrochimique produit des plastiques, des engrais, des insecticides et même des médicaments. Les vêtements de polyester et de nylon, les disques microsillons, le rouge à lèvre et les autres cosmétiques, les détergents et les plastiques de tous genres

sont des produits d'usage quotidien, issus du pétrole. Et lorsque nous allumons une lampe, elle brille grâce à de l'électricité qui peut être produite dans une centrale électrique par la combustion de pétrole.

Produits d'usage quotidien fabriqués à base de pétrole

Une pompe fournit l'essence

La production d'énergie électrique

L'électricité est la forme d'énergie la plus pratique et la plus souple dont nous disposons. Elle peut être envoyée à longue distance de façon efficace et peu coûteuse, elle actionne les appareils électriques et les machines de l'industrie, et est utilisable pour assurer le chauffage et l'éclairage.

En raison de la diminution des réserves de pétrole, les savants et les ingénieurs ont développé des technologies alternatives de production d'énergie. Au cours des années 1950, l'énergie provenant de la fission (ou division) des atomes — qui se dégage de façon brutale et destructrice dans l'explosion de la bombe atomique — fut maîtrisée de façon à fournir de la chaleur pour la production d'électricité. Une quantité de combustible nucléaire — généralement de l'uranium — peut fournir trois millions de fois plus d'énergie que la même quantité de charbon. Mais l'énergie nucléaire a aussi des désavantages : elle laisse des déchets dangereux, et un accident à un réacteur nucléaire pourrait être catastrophique. Malgré les mesures de sécurité rigoureuses prises dans les centrales nucléaires, beaucoup de gens pensent que les avantages du nucléaire ne compensent pas ses risques.

D'autres technologies plus « propres » ont également progressé. Dans diverses régions du monde, les centrales hydro-électriques assurent la plus grande part de la production d'électricité. Il existe aussi des installations expérimentales qui utilisent la force du vent, des marées, des vagues, et la chaleur du soleil. Le procédé d'avenir le plus intéressant est pourtant la fusion nucléaire. Il tâcherait de reproduire sur la Terre les réactions qui fournissent au Soleil son énergie. La réaction de fusion a déjà été produite au stade expérimental, mais il faudra sans doute au moins cinquante ans, avant que soit mise au point la technologie qui permettrait d'utiliser la fusion nucléaire pour faire fonctionner des centrales électriques.

▷ Dans plusieurs pays industrialisés, une part appréciable de l'électricité est déjà produite grâce à l'énergie nucléaire : 10 % aux États-Unis, 15 % en Grande-Bretagne, et près de 40 % en France.

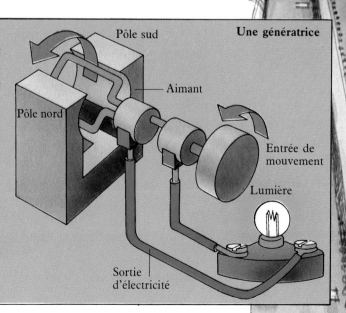

La production d'électricité

De l'électricité est produite quand on fait tourner une boucle de fil conducteur dans le champ magnétique d'un aimant : l'énergie employée à faire tourner la boucle est transformée en énergie électrique. Cela se produit dans la dynamo d'un vélo, où l'énergie est fournie par la rotation de la roue. Dans la plupart des centrales électriques, fonctionnant au charbon, au pétrole ou au combustible nucléaire, le mouvement est assuré par la vapeur sous pression.

Pôle sud
Une génératrice
Aimant
Pôle nord
Entrée de mouvement
Lumière
Sortie d'électricité

Charbon

Pétrole

Gaz naturel

Énergie hydro-électrique

Les sources d'énergie

Le charbon, le pétrole et le gaz naturel sont les combustibles employés par la plupart des centrales électriques du monde. Les centrales hydro-électriques puisent leur énergie dans l'écoulement d'eau sous pres-sion. Elles sont non polluantes et utilisent une source d'énergie renouvelable. Mais elles ne peuvent fonctionner que là où est disponible assez d'eau sous pression, provenant de cours d'eau de montagnes et accumulée derrière des barrages.

11

Production de l'électricité

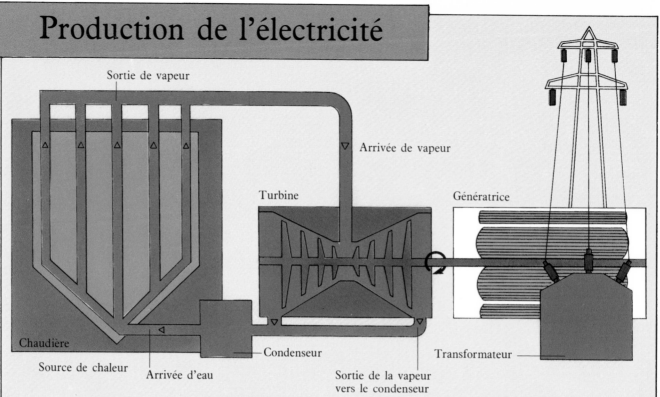

Sortie de vapeur

Arrivée de vapeur

Turbine

Génératrice

Chaudière

Source de chaleur

Arrivée d'eau

Condenseur

Sortie de la vapeur
vers le condenseur

Transformateur

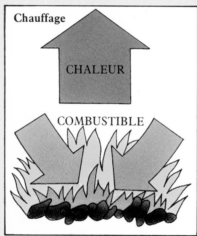

Chauffage

CHALEUR

COMBUSTIBLE

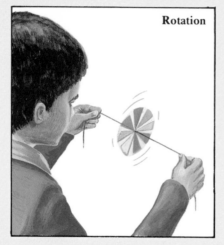

Rotation

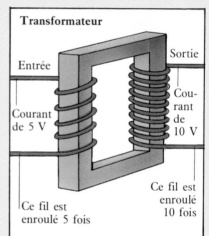

Transformateur

Entrée

Sortie

Courant
de 5 V

Courant
de 10 V

Ce fil est
enroulé 5 fois

Ce fil est
enroulé
10 fois

L'énergie de la chaleur

Dans les centrales à charbon, à pétrole et à gaz, le combustible est brûlé pour faire bouillir de l'eau, et la vapeur dégagée provoque le mouvement nécessaire à la production de l'électricité. Ce même processus est employé dans les centrales nucléaires, mais l'énergie de chauffage y est fournie par la fission des atomes d'uranium. Pour que celle-ci s'effectue en sécurité, et pour contenir la chaleur dégagée, la construction des réacteurs nucléaires exige une technologie très élaborée et coûteuse.

Turbine et génératrice

La vapeur sous pression, produite dans la chaudière ou dans le réacteur nucléaire, est projetée sur les ailettes d'une turbine, qu'elle fait tourner. Celle-ci entraîne la génératrice et y fait tourner un grand électro-aimant à l'intérieur de bobines de fils électriques. L'effet est le même que si une boucle de fil tourne à l'intérieur d'un aimant (p. 10) : un courant électrique est produit dans le fil. La vapeur détendue passe dans le condenseur où elle redevient de l'eau, qui retourne dans la chaudière ou le réacteur.

Le transformateur

La plupart des centrales électriques produisent leur courant à la tension (ou voltage) de 25 000 volts ; puis on l'augmente, pour une distribution plus efficace, au moyen d'un transformateur. Celui-ci consiste en deux enroulements de fils électriques, exécutés autour des deux parties opposées d'un noyau de fer. Le courant électrique qui passe dans un enroulement déclenche un courant dans l'autre : ce courant aura un voltage double, si le second enroulement a le double de tours de fil du premier.

Sa distribution

Le voltage du courant sortant de la centrale électrique est élevé par des transformateurs à plus de 130 000 volts, et parfois à 400 000 volts : cela diminue les pertes lors du transport. Puis il est envoyé par des câbles aériens ou souterrains vers des sous-stations régionales ou locales, où le voltage est réduit selon les besoins des utilisateurs. Les industries métallurgiques lourdes requièrent environ 33 000 volts, et les plus légères 11 000 volts. L'électricité pour l'usage do-mestique a son voltage réduit à environ 230 volts. Les réseaux nationaux ou régionaux de dis-tribution d'électricité sont sur-veillés par des ingénieurs élec-triciens dans des bureaux cen-traux, de façon à adapter cons-tamment la fourniture d'électri-cité à la demande : plus ou moins de centrales sont mises en activité selon la consomma-tion du moment. Les centrales à gaz et à pétrole sont les plus souples, pour entrer en action aux seules heures de pointe.

Fils électriques

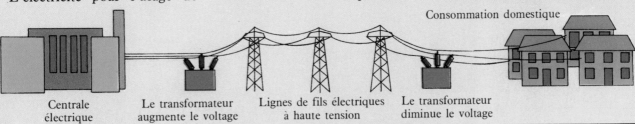

Consommation domestique

Centrale électrique — Le transformateur augmente le voltage — Lignes de fils électriques à haute tension — Le transformateur diminue le voltage

Ses usages à la maison

Lorsque nous utilisons de l'électricité, nous transformons de l'énergie électrique en une autre forme d'énergie, générale-ment de l'énergie cinétique (ou de mouvement). Les mo-teurs électriques qui actionnent les appareils ménagers (machi-nes à laver, mixeurs, foreuses...) fonctionnent selon le même principe que les génératrices (p. 10), mais en sens inverse : le courant envoyé dans la boucle la fait tourner. Ainsi les moteurs retransforment l'énergie électri-que en énergie de mouvement. Le passage du courant dans un fil mince provoque aussi son échauffement : ce phénomène est utilisé dans le chauffage et l'éclairage électriques, qui constituent la grande part de la consommation domestique d'électricité. Beaucoup de cette énergie calorifique est souvent perdue par la mauvaise isolation des murs et plafonds.

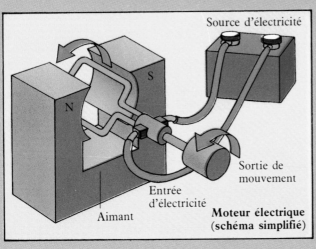

Source d'électricité

S

N

Sortie de mouvement

Entrée d'électricité

Aimant

Moteur électrique (schéma simplifié)

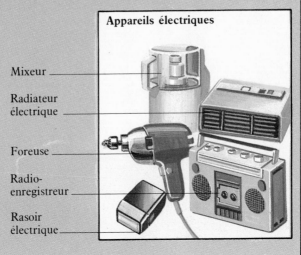

Appareils électriques

Mixeur

Radiateur électrique

Foreuse

Radio-enregistreur

Rasoir électrique

La révolution de l'ordinateur

Un des succès les plus impressionnants de la technologie moderne fut la révolution de l'ordinateur. Si la technologie de l'aviation avait progressé de façon comparable au cours des vingt-cinq dernières années, un avion de ligne moderne coûterait environ 2 500 francs fr. et effectuerait le tour de la Terre en moins d'une demi-heure, avec une consommation minime de combustible. Ceci aide à imaginer l'accroissement de la puissance et de l'efficacité des ordinateurs, en même temps que la chute de leurs prix.

Les ordinateurs individuels, actuellement mis en vente partout, ont la puissance de travail des plus gros et puissants ordinateurs utilisés au cours des années 1960. Ils peuvent mettre en mémoire de grandes quantités d'informations, ainsi que comparer et traiter des chiffres, des mots et même des images.

Les ordinateurs sont des machines très souples : leur puissance de traitement peut être appliquée à des domaines aussi divers que l'enseignement, l'industrie, la médecine, et même l'agriculture. Le travail de bureau a déjà été transformé : les classeurs volumineux et peu pratiques ont été remplacés par un enregistrement des données sur ordinateur, qui procure un accès presque instantané aux divers renseignements que l'on désire.

À la base de tous ces progrès se trouve la plaquette de silicium, une lamelle de matière sur laquelle on peut imprimer des milliers de circuits électriques, qui permettent d'effectuer plus d'un million de calculs par seconde. Mais la technologie progresse sans arrêt : les techniciens des ordinateurs annoncent qu'au cours des années 1990, il sera possible de placer 10 millions de circuits électriques sur une plaquette, ce qui procurera une puissance de traitement et de calcul presque inimaginable.

▷ Le système d'ordinateurs *Starlink* relie six centres astronomiques du Royaume-Uni. Il permet aux savants de se communiquer des informations en maniant quelques boutons.

Que fait un ordinateur ?
Un ordinateur traite (ou manie) de l'information. Celle-ci est introduite au moyen d'un dispositif d'entrée tel qu'un clavier, et traduite dans le code électrique qu'utilise l'ordinateur. Elle passe dans une mémoire temporaire, puis dans l'unité de traitement qui effectue les opérations demandées. Les résultats repassent par la mémoire, puis apparaissent grâce à un dispositif de sortie (écran, imprimante...) sous la forme de mots, chiffres ou graphiques. Ces résultats peuvent également être enregistrés.

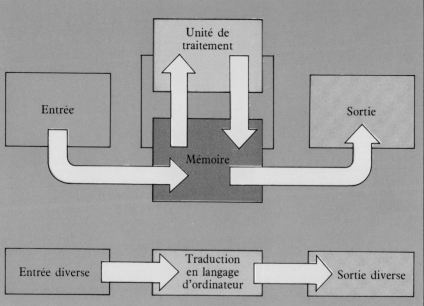

Les microcircuits

Une plaquette de silicium porte de nombreux circuits électriques, qui ressemblent aux rues d'une ville, vues d'un avion ; l'ensemble forme un « microcircuit » (ou circuit intégré ou « puce »). Des millions d'impulsions électriques passent chaque seconde dans les microcircuits d'un ordinateur en fonctionnement. Chaque microcircuit est monté dans un boîtier protecteur en céramique. Les petites languettes d'or ou d'aluminium qui en sortent servent aux multiples connexions électriques avec d'autres microcircuits.

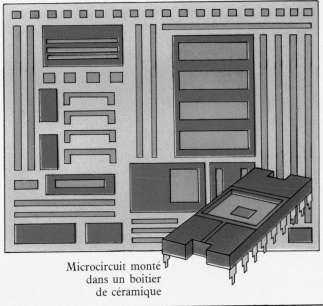

Vue agrandie d'un microcircuit

Microcircuit monté dans un boîtier de céramique

Les divers ordinateurs

Les plus gros ordinateurs sont appelés souvent « unités centrales ». Ils sont employés surtout par les grandes entreprises, ainsi que par les météorologues qui ont besoin d'analyser très rapidement de grandes quantités d'informations. Au-dessous se placent les mini-ordinateurs, employés dans les bureaux moyens et petits, et enfin les micro-ordinateurs, de prix assez réduit pour être employés à l'école et à la maison.

Les mini-ordinateurs avec dispositifs supplémentaires de mémoire externe sont déjà puissants.

Les micro-ordinateurs de prix réduit ont mis l'usage des ordinateurs à la portée de presque chacun.

Les gros ordinateurs ont de vastes mémoires et sont utilisables par plusieurs personnes à la fois.

Le système complet

Quelle que soit leur puissance, les ordinateurs ont besoin des mêmes éléments pour constituer un système complet. Le centre en est le « processeur » qui traite les données. Il est muni d'un clavier qui permet d'introduire les informations, et il dispose d'une mémoire, qui peut être augmentée par des dispositifs de mémoire externe utilisant des disques ou bandes magnétiques. L'information gardée de cette façon peut être introduite directement dans l'ordinateur. La sortie des résultats se fait par l'affichage sur un écran spécial ou celui d'un téléviseur, par une imprimante, ou par l'enregistrement sur disques ou bandes.

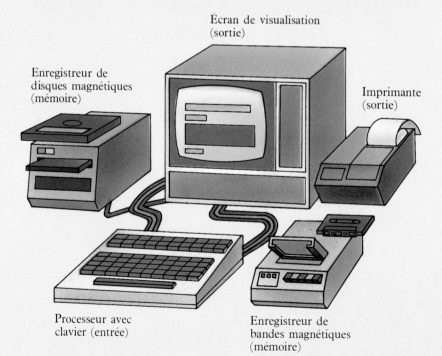

Écran de visualisation (sortie)

Enregistreur de disques magnétiques (mémoire)

Imprimante (sortie)

Processeur avec clavier (entrée)

Enregistreur de bandes magnétiques (mémoire)

Le dessin par ordinateur

Parmi les applications des ordinateurs, l'emploi de leur capacité à traiter les images constitue un domaine des plus intéressants. Les créateurs et ingénieurs peuvent «dessiner» directement sur l'écran de visualisation pour tester de nouvelles idées. Ainsi, un nouveau modèle d'avion peut être tracé sur l'écran et soumis à la plupart des contraintes qu'il subira durant les vols réels. Une telle création aidée par ordinateur permet d'épargner beaucoup de temps et d'argent. Elle est utilisée maintenant pour créer les microcircuits beaucoup plus puissants, qui seront employés dans les ordinateurs de l'avenir.

Dessin technique à l'aide d'un ordinateur

Ordinateurs de contrôle

Imaginez que vous dirigez une usine, où des milliers d'éléments doivent arriver chaque jour à la chaîne de montage, ou bien un service de transport public tel que le métro de Paris ou le chemin de fer urbain de San Francisco. Dans de telles situations, l'ordinateur se trouve à l'aise : comme il peut traiter très rapidement de grandes quantités d'informations, il est l'instrument idéal pour contrôler et gérer de tels ensembles complexes. Il peut vérifier si tous les éléments arrivent bien à la chaîne de montage, et si les rames ou trains respectent l'horaire. À une échelle encore plus grande, les ordinateurs sont indispensables pour les missions spatiales. Ceux du centre spatial préparent en détail toutes les données nécessaires pour assurer la réussite

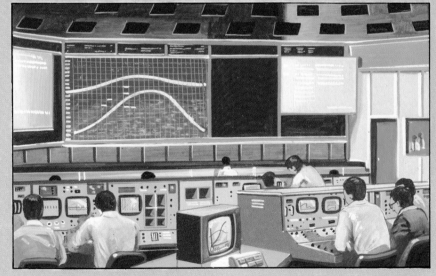

Le centre de contrôle des missions spatiales de la NASA

de chaque mission spatiale. Les ordinateurs de la navette spatiale reçoivent par exemple plus de 500 000 instructions qui sont indispensables pour chaque vol. Durant la mission, ils doivent surveiller le bon fonctionnement de milliers d'équipements de la navette, réagir en cas d'incident et calculer les corrections de trajectoire. Sans la rapidité d'action des ordinateurs de la navette et du centre, les missions spatiales seraient impossibles.

L'exploration spatiale

Le lancement du *Spoutnik 1* par l'Union soviétique en 1957 marqua le début de l'âge spatial. Depuis lors, des milliers de satellites ont été lancés, dont certains avec un équipage humain. Les passionnantes missions américaines *Apollo* permirent à des hommes de marcher pour la première fois sur la Lune, en 1969.

Le lancement de satellites, habités ou non, exige une technologie très avancée. Les fusées, nécessaires pour arracher les satellites à l'attraction terrestre, doivent être à la fois puissantes et sûres. Il faut les construire en des métaux très solides, pour qu'elles résistent aux efforts auxquels elles seront soumises. Les cabines qui ramènent les astronautes doivent être protégées au moyen de matériaux qui supportent des températures de plus de 1 000°, qu'elles subissent à leur rentrée dans l'atmosphère terrestre.

La technologie spatiale nous procura de nombreux avantages dans notre vie quotidienne. Des satellites relaient les émissions de radio et de télévision ainsi que les communications téléphoniques, et ils facilitent la navigation des navires et des avions. La réalisation et les succès de la navette spatiale permettent de nouveaux progrès dans la technique des satellites. La navette est un engin réutilisable, conçu pour placer des satellites sur orbite à frais moindres que dans le passé. Les équipages des navettes pourront réparer les satellites dans l'espace, ou bien les ramener sur la Terre s'ils ont besoin d'une révision plus profonde. Les navettes permettent même d'envisager la construction dans l'espace de grandes stations permanentes, assemblées à partir des divers éléments que les navettes apporteront de la Terre.

▷ Plusieurs navettes spatiales ont été construites aux États-Unis pour amener des satellites et des astronautes dans l'espace. Elles tournent plusieurs jours autour de la Terre, à plus de 200 km d'altitude.

Le lancement
La navette est propulsée par ses trois moteurs principaux à combustible liquide, et par deux fusées auxiliaires à combustible solide qui encadrent un grand réservoir de combustible liquide. Elle peut emporter une charge de 30 tonnes.

Le vol en orbite
Avant de se placer sur son orbite, la navette abandonne les deux fusées auxiliaires et le grand réservoir vide. En orbite, la charge payante est sortie de la soute, qui se trouve au milieu du fuselage de la navette, au moyen du bras télémanipulateur.

Le retour sur la Terre
Au retour, les moteurs de la navette sont remis en activité pour ralentir son vol, puis elle plane dans l'atmosphère, en étant protégée de la chaleur du frottement de l'air par des tuiles spéciales. Elle atterrit à plus de 320 kilomètres à l'heure.

Satellites de communications

Compléter l'orbite

Qu'est-ce qui maintient un satellite sur son orbite ? Imaginez un canon qui tire son obus : celui-ci décrit une trajectoire courbe, qui est d'autant plus longue que la vitesse de l'obus est élevée. De même, le satellite est lancé à une vitesse telle qu'il décrit une courbe plus grande que celle de la surface terrestre.

Les types d'orbites

Les satellites sont placés sur des orbites différentes, selon les tâches qu'ils ont à accomplir. L'orbite des satellites d'observation passe au-dessus des pôles : ils survolent la Terre qui tourne. Les satellites de télécommunications tournent au niveau de l'équateur et à la même vitesse que la Terre : ils semblent rester sur place.

Satellites pour les navettes

La navette spatiale a lancé deux des trois satellites prévus pour le « repérage et relais des données des satellites » (TDRS). Ils surveilleront les prochaines missions spatiales et transmettront les informations recueillies vers la Terre. Tous trois seront placés sur une orbite géostationnaire, et l'un d'eux restera au-dessus de sa station réceptrice du Nouveau-Mexique (États-Unis). Leur position sera telle qu'ils pourront à tout moment, soit l'un soit l'autre, recevoir des informations de la navette et lui en envoyer, et se les communiquer entre eux, pour les faire parvenir au sol par le premier. Le système TDRS pourra rester en relation simultanée avec 26 satellites, et il remplacera l'ancien réseau de stations réceptrices terrestres.

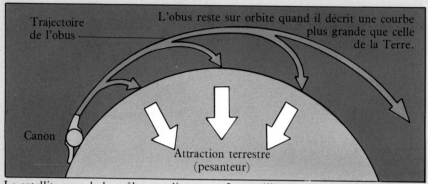

Trajectoire de l'obus

L'obus reste sur orbite quand il décrit une courbe plus grande que celle de la Terre.

Canon

Attraction terrestre (pesanteur)

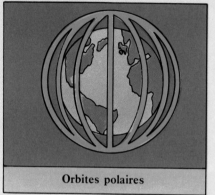

Le satellite survole les pôles, tandis que la Terre tourne sous lui.

Le satellite tourne au-dessus de l'équateur et à la même vitesse que la Terre.

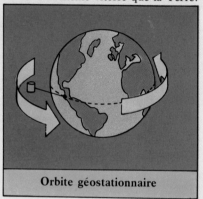

Orbites polaires

Orbite géostationnaire

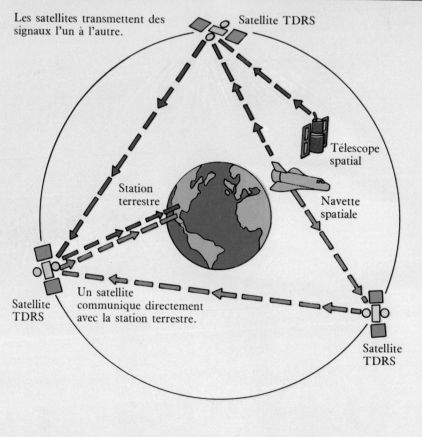

Les satellites transmettent des signaux l'un à l'autre.

Satellite TDRS

Télescope spatial

Station terrestre

Navette spatiale

Satellite TDRS

Un satellite communique directement avec la station terrestre.

Satellite TDRS

Surveillance terrestre

Le satellite *Landsat*

Analyse de photo par ordinateur

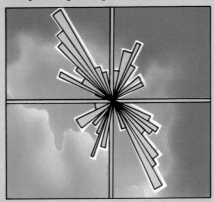

Utilisation de l'information

Durant leurs premiers vols dans l'espace, les astronautes déclarèrent qu'ils avaient une vue très détaillée de la surface terrestre. Des satellites actuels tels que le *Landsat* sont équipés pour observer constamment la Terre et spécialement l'évolution du temps dans son atmosphère, à l'échelle mondiale.

Ces satellites sont équipés d'appareils photographiques ordinaires et d'autres qui captent les rayons infrarouges (ou de chaleur) venant de la Terre. Ceux-ci fournissent des informations que ne décèlent pas les appareils ordinaires, par exemple les zones où la végétation et les cultures sont en mauvaise santé.

Les images fournies par les satellites *Landsat*, renforcées par des ordinateurs, permettent de repérer des structures géologiques typiques, qui peuvent contenir des minerais ou du pétrole. Des gisements de pétrole et d'uranium ont déjà été découverts grâce à l'observation et à la technologie des satellites.

Exploration

Des satellites non habités, ou sondes, munis d'appareils photographiques et d'équipements scientifiques, ont été envoyés vers les planètes Mercure, Vénus, Mars, Jupiter et Saturne. *Pioneer 10* s'approcha de Jupiter et photographia sa surface. Puis *Voyager 1* et *2* firent de même, en utilisant des instruments plus perfectionnés. Tous deux se dirigèrent ensuite vers Saturne, en utilisant l'effet de lancement produit par l'attraction de Jupiter. Ainsi furent découverts six nouveaux satellites de Saturne et l'activité volcanique du satellite Io de Jupiter, en plus de bien d'autres informations qui furent envoyées vers la Terre sous forme d'ondes.

Jupiter et *Pioneer 10*

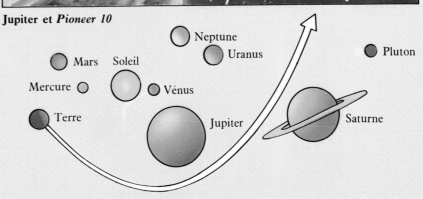

La fabrication

L'industrie s'empresse d'utiliser les progrès technologiques réalisés dans d'autres domaines. La fabrication doit être la plus moderne possible, pour que les produits fabriqués puissent se vendre. Et si les produits deviennent plus élaborés, les méthodes de fabrication doivent l'être aussi. Ainsi, les lasers ont remplacé les moyens traditionnels pour le découpage et le soudage des métaux, et les fabricants utilisent de nouvelles matières et techniques pour améliorer leurs produits tout en réduisant leurs prix.

Beaucoup de produits sont fabriqués par l'assemblage d'un grand nombre de composants : il faut par exemple plus de 10 000 pièces pour constituer une voiture ordinaire. Le manque d'une seule de ces pièces pourrait arrêter une chaîne de montage. C'est pourquoi des ordinateurs contrôlent les stocks et les sorties de pièces, pour déceler d'avance tout risque d'épuisement des stocks.

Des robots sont installés à allure croissante le long des chaînes de montage. Le premier robot industriel fut placé en 1961 dans une usine de construction automobile des États-Unis. Actuellement, 20 000 robots travaillent dans les usines du monde, et on estime qu'ils seront 200 000 en 1990.

Les robots sont simplement des machines qui agissent sous la direction d'un ordinateur. Ils conviennent de façon idéale pour les travaux répétitifs et ennuyeux, et pour ceux qui comportent des risques pour les ouvriers, par exemple la manipulation des produits chimiques dangereux pour la santé.

▷ Les robots les plus récents sont à usages multiples. Celui-ci est capable de souder, limer, polir et peindre au pistolet : pour chacune de ces tâches, un équipement spécial est attaché à son bras.

Les mouvements des robots

La plupart des bras des robots peuvent se déplacer en six sens : rotation à la base, élévation et abaissement au niveau de l'« épaule » et du « coude », et mouvements de la « main » dans trois directions. Pour comparaison, la main humaine seule peut effectuer 40 mouvements différents. La suite des mouvements à exécuter pour accomplir une certaine tâche est indiquée au robot par l'ordinateur qui le commande. Un opérateur humain guide d'abord le bras du robot dans les mouvements qu'il devra exécuter, et ceux-ci sont enregistrés par l'ordinateur. Les instructions peuvent également lui être données au moyen des touches de son clavier ou par un disque magnétique.

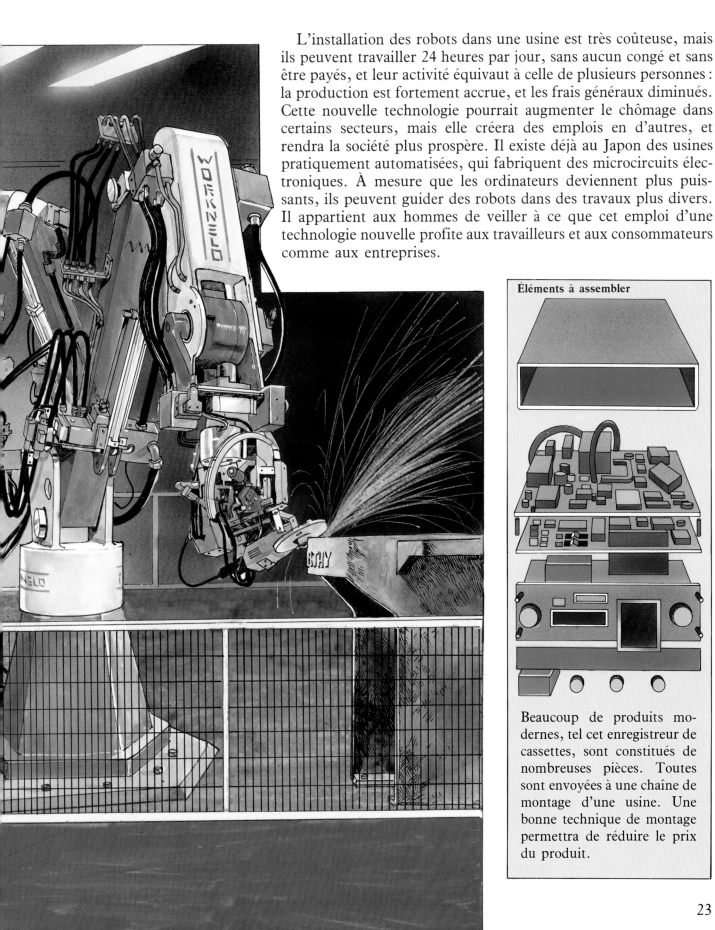

L'installation des robots dans une usine est très coûteuse, mais ils peuvent travailler 24 heures par jour, sans aucun congé et sans être payés, et leur activité équivaut à celle de plusieurs personnes : la production est fortement accrue, et les frais généraux diminués. Cette nouvelle technologie pourrait augmenter le chômage dans certains secteurs, mais elle créera des emplois en d'autres, et rendra la société plus prospère. Il existe déjà au Japon des usines pratiquement automatisées, qui fabriquent des microcircuits électroniques. À mesure que les ordinateurs deviennent plus puissants, ils peuvent guider des robots dans des travaux plus divers. Il appartient aux hommes de veiller à ce que cet emploi d'une technologie nouvelle profite aux travailleurs et aux consommateurs comme aux entreprises.

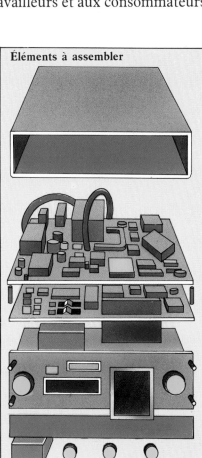

Éléments à assembler

Beaucoup de produits modernes, tel cet enregistreur de cassettes, sont constitués de nombreuses pièces. Toutes sont envoyées à une chaîne de montage d'une usine. Une bonne technique de montage permettra de réduire le prix du produit.

La conception

La fabrication des microcircuits utilise des technologies de pointe. Comme pour tout autre produit, le processus commence par la conception. Le créateur doit imaginer chacun des milliers de circuits électriques qui constitueront le microcircuit, et les façons de les réunir et de les connecter dans l'espace le plus réduit possible, en vue d'un certain fonctionnement.

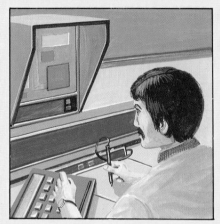

L'emploi d'ordinateurs est indispensable pour cette tâche. Des circuits existants et utilisables sont testés et enregistrés dans la mémoire d'un ordinateur. De nouveaux circuits, pour d'autres fonctions, sont dessinés à la main et introduits à leur tour. À la fin de ce stade de création, qui peut durer des mois, tous les circuits et leurs connexions sont enregistrés dans la mémoire de l'ordinateur.

Le tracé des circuits est utilisé pour réaliser un jeu de masques photographiques, dont chacun correspond à une des couches du futur microcircuit. Chaque masque contient côte à côte des centaines de reproductions des circuits de la même couche. Ceci est réalisé par un procédé photographique qui imprime le dessin des circuits sur le masque de verre. Ce procédé de multiplication permettra de fabriquer de nombreux microcircuits.

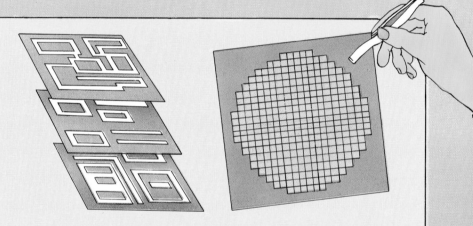

Un masque est réalisé pour chaque couche de circuits, dont l'ensemble constituera le microcircuit : il peut y en avoir jusqu'à dix. Le masque contient des centaines de reproductions du même petit circuit.

La fabrication

Les circuits seront fixés sur des plaquettes ou « pastilles » de silicium, une matière tirée du sable. Des cristaux de silicium pur sont produits et coupés en lamelles, qu'on nettoie, polit et cuit au four. Puis ces lamelles sont couvertes d'une fine couche de plastique sensible à la lumière. Alors on pose sur chacune le masque photographique et on l'éclaire, ce qui imprime le circuit dans le plastique.

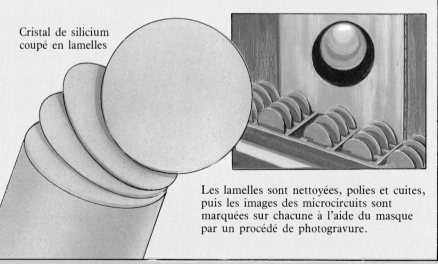

Cristal de silicium coupé en lamelles

Les lamelles sont nettoyées, polies et cuites, puis les images des microcircuits sont marquées sur chacune à l'aide du masque par un procédé de photogravure.

Ce processus de cuisson et de photogravure est répété pour chaque couche de circuits du microcircuit. Ensuite, des quantités bien dosées d'impuretés chimiques y sont ajoutées : elles orienteront la circulation du courant électrique dans le microcircuit terminé, pour qu'il accomplisse la tâche prévue. Les connexions entre les divers circuits sont réalisées au moyen d'aluminium vaporisé.

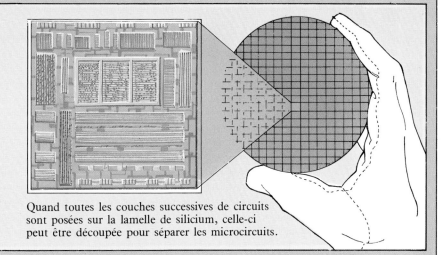

Quand toutes les couches successives de circuits sont posées sur la lamelle de silicium, celle-ci peut être découpée pour séparer les microcircuits.

Vérification et découpage

Une seule poussière peut détériorer complètement un circuit. C'est pourquoi chaque microcircuit de la lamelle est vérifié par des testeurs électriques, et jusqu'à 70 % d'entre eux sont repérés comme défectueux. Puis les lamelles de silicium sont découpées, pour séparer les microcircuits. Chaque bon microcircuit est enfin monté sur une base de céramique qui porte des languettes pour les connexions.

La lamelle entière est découpée en microcircuits séparés.

Après vérification, jusqu'à 70 % de microcircuits défectueux sont rejetés. Les autres sont montés sur une base de céramique.

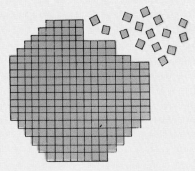

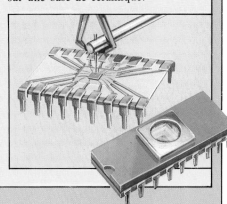

Usages des microcircuits

Certains microcircuits des ordinateurs gardent les informations, et d'autres effectuent les calculs. Un ordinateur peut comporter un nombre plus ou moins important de microcircuits de divers types et reliés ensemble, selon sa taille. D'autres microcircuits règlent le fonctionnement des machines à laver ou des enregistreurs vidéo, ou bien contrôlent les satellites et guident les missiles.

Les éléments sont assemblés pour constituer le produit final : ici, un ordinateur.

Clavier

Tablette portant les microcircuits connectés ensemble.

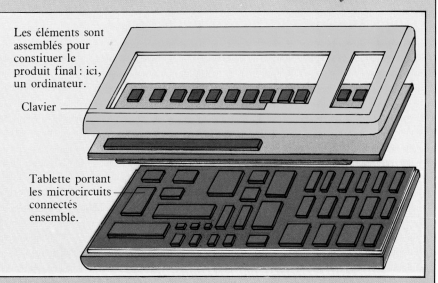

Les déplacements

Après le vol transatlantique BA 204 de Los Angeles à Londres, les passagers quittent l'avion, et celui-ci est préparé pour le vol suivant. Chaque année, plus de 600 millions de passagers sont ainsi transportés par des avions. Pour des trajets plus courts, des millions de personnes vont chaque jour à leur travail et en reviennent, en utilisant des trains, des autobus et des voitures privées.

L'importance considérable de ce trafic a suscité de nombreux progrès techniques. Les voitures et les avions ont été modifiés, de façon à consommer moins de combustible. De nouveaux systèmes de chemin de fer urbain furent réalisés, et les modèles améliorés de trains et d'avions ont réduit considérablement la durée des voyages, tout en assurant leur régularité et un haut niveau de sécurité.

▷ Parmi les avions géants pour passagers, appelés jumbo-jets, le *Boeing 747* est le plus grand. Il fut conçu pour absorber la forte augmentation du trafic aérien international, au cours des années 1960.

Dans toutes les formes de transports, les considérations de sécurité ont la priorité, depuis la conception des divers engins jusqu'à leur exploitation pratique. Ainsi, les avions sont bourrés d'équipements électroniques qui avertissent l'équipage de toute anomalie ou avarie, et des systèmes de sécurité évitent que les défauts éventuels aboutissent à des catastrophes. Les plus récents modèles de voitures sont conçus pour assurer une protection maximale aux occupants, en cas d'accident.

La recherche de l'économie occupe le second rang des préoccupations. Le nouveau dessin des moteurs et l'emploi d'alliages plus légers dans la construction des voitures et des avions a permis de réduire leur consommation de 35 pour cent dans certains cas.

Le but final visé par la technologie est la vitesse. Le premier avion supersonique pour passagers, le *Concorde*, a réduit de moitié la durée du vol entre l'Europe et l'Amérique du Nord, grâce à une vitesse de croisière de 2 100 km à l'heure. Les frais de réalisation des *Concorde*, quoique partagés entre la France et la Grande-Bretagne, furent très élevés, et les coûts d'exploitation considérables de ces appareils commandent de les réserver aux lignes aériennes intercontinentales les plus fréquentées, surtout depuis l'augmentation du prix du pétrole. Ces magnifiques avions à la ligne fine et élégante demeurent pourtant une des réalisations les plus remarquables de la technologie moderne des transports.

Le Boeing 767

Le Boeing 767

Le modèle *Boeing* le plus récent, le *767*, utilise 35 pour cent de combustible en moins que les autres avions de même catégorie. Cette meilleure efficacité est la conséquence de plusieurs progrès technologiques. Le poids de cet avion a été réduit au minimum par l'emploi d'alliages solides et légers, et ses moteurs sont d'un type amélioré. L'emploi d'ordinateurs et d'instruments de navigation électroniques a permis de réduire à deux personnes l'équipage nécessaire au vol. Tous ces facteurs diminuent les frais d'exploitation, et les prix des billets peuvent rester modérés.

Les services aériens

Dans un aéroport international fréquenté, les avions atterrissent et décollent à la cadence de plus d'un par minute, aux heures de pointe. Les contrôleurs du trafic aérien ont comme tâche de veiller à ce que ce trafic considérable s'effectue en toute sécurité. Un système mondial de réglementation et de surveillance a été organisé, pour diriger et renseigner les pilotes des avions de ligne. Avant d'atteindre l'aéroport, les pilotes doivent connaître les conditions atmosphériques locales et la densité du trafic aérien. Ces informations sont diffusées constamment par des antennes radio. Les avions sont dirigés vers des «couloirs aériens», où ils doivent être séparés l'un de l'autre par au moins

Salle de contrôle du trafic aérien d'un aéroport

300 mètres d'altitude ou 5,5 kilomètres de distance horizontale. Leur progression s'inscrit sur les écrans de radar de la tour de contrôle du trafic aérien. Les contrôleurs maintiennent un contact radio avec tout avion qui atterrit ou décolle. En même temps, les avions qui ont atterri doivent être surveillés constamment, pour assurer qu'ils se tiennent à l'écart des pistes utilisées pour les atterrissages et décollages d'autres avions.

Technique automobile

Les constructeurs sont parvenus à diminuer notablement la consommation de carburant des voitures familiales courantes, en améliorant leur profilage et le rendement de leur moteur. Des extrémités avant et arrière déformables et la solidité du compartiment pour les passagers ont augmenté leur sécurité. Le progrès le plus récent est l'installation de circuits de micro-ordinateurs dans le moteur et le véhicule. Ils peuvent régler l'arrivée de carburant, surveiller le niveau d'huile, et indiquer à tout moment la consommation, ce qui permet de trouver l'allure la plus économique. Certains signalent au conducteur, parfois de façon sonore, que les portes ne sont pas bien fermées ou les ceintures de sécurité non attachées. Ils peuvent même aider le conducteur à trouver sa route : dans cet équipement expérimental Honda, l'itinéraire du conducteur dans une ville est affiché sur un écran vidéo, installé à côté du tableau de bord.

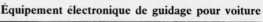

Équipement électronique de guidage pour voiture

La navigation maritime

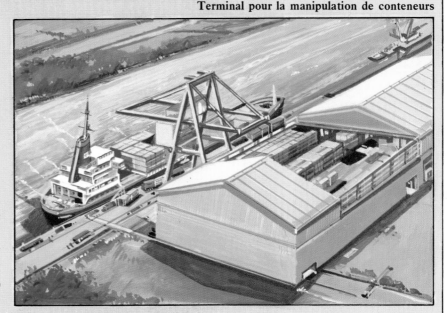

Peu de personnes voyagent actuellement par mer, mais beaucoup de cargaisons le font. Les produits en vrac, tels que les minerais, sont transportés dans les cales à la manière habituelle, mais de nombreux produits finis voyagent dans de grands conteneurs métalliques. Dans les ports, les opérations de chargement et de déchargement se font dans un ordre indiqué par un ordinateur, pour plus de vitesse et d'efficacité. En mer, le pilotage automatique est assuré par des ordinateurs, qui prennent comme repères les signaux radio émis par des satellites.

Les chemins de fer

En 1981, un des trains profilés français T.G.V. (trains à grande vitesse) porta le record mondial de vitesse sur rail à 380 km à l'heure. Depuis lors, d'autres T.G.V. réalisèrent des vitesses semblables, et ils ont permis de réduire de moitié la durée du trajet entre Paris et Lyon, en service régulier. Ces trains roulent sur des voies nouvelles presque rectilignes, de sorte qu'ils n'ont pas à ralentir dans des virages. Les trains eux-mêmes utilisent des technologies nouvelles, notamment dans leurs moteurs électriques et leurs systèmes de freins. Les conducteurs ne doivent plus observer de signaux extérieurs, car les informations nécessaires leur sont communiquées par radio et s'affichent sur des équipements électroniques de leur cabine. Aux cours des prochaines années, le réseau des T.G.V. sera étendu, pour atteindre d'autres villes de province.

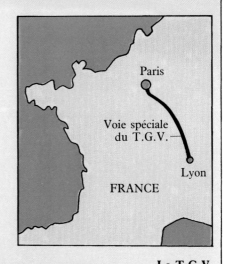

Paris

Voie spéciale du T.G.V.

Lyon

FRANCE

Le T.G.V.

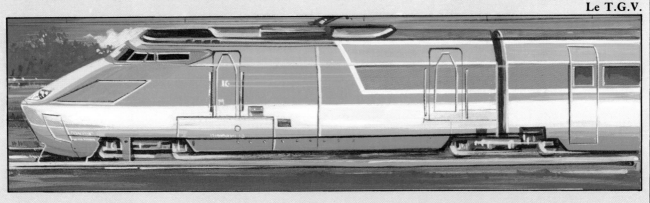

La révolution verte

Au cours des vingt dernières années, l'agriculture est devenue une industrie perfectionnée, en Europe comme en Amérique du Nord. La culture des grands espaces grâce à la mécanisation des techniques de semailles et de récoltes, la production de nouvelles variétés de semences résistant aux maladies et de plus haut rendement, et l'emploi de nouveaux engrais et insecticides ont permis de quadrupler la production pour certaines céréales. Un élevage sélectif et une alimentation intensive ont permis d'atteindre des résultats du même genre, dans la production du bétail.

L'Amérique du Nord comme l'Europe produisent plus d'aliments que leurs populations n'en ont besoin, tandis que des millions de personnes souffrent encore de sous-alimentation dans les pays pauvres. Une solution à long terme pour augmenter la production alimentaire est d'accroître l'étendue des terres cultivées, notamment par l'irrigation des régions chaudes et sèches. Ainsi, le projet de canal Jonglei du Soudan (est de l'Afrique) a comme but de fournir l'eau pour irriguer les déserts du nord du Soudan et de l'Égypte, en détournant les eaux du Nil Blanc. Environ un tiers de la longueur totale du canal (364 km) est creusé jusqu'à présent. Les progrès sont lents en raison des difficultés du terrain et de l'environnement, dans cette région reculée. Mais on estime que le canal pourrait être terminé vers la fin de la décennie.

▷ L'excavateur à roue à godets qui creuse le canal Jonglei est le plus grand du monde : à côté de lui, ses opérateurs paraissent des nains. Cette machine imposante et efficace travaille jour et nuit, et elle consomme autant de combustible qu'une ville de 50 000 habitants.

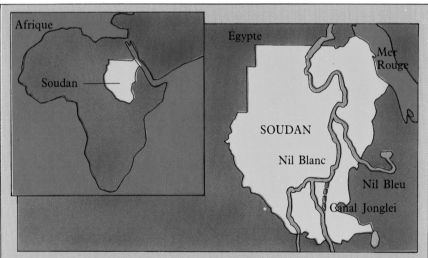

Le projet Jonglei

Le Soudan est le plus grand pays d'Afrique, mais aussi un des plus pauvres, car il comporte de vastes régions désertiques. Le canal Jonglei a comme but de détourner les eaux du Nil Blanc des marécages du sud du pays, où beaucoup d'eau se perd par évaporation et infiltration. L'eau détournée permettra d'irriguer les terres sèches du nord du pays, tandis que les marécages du sud seront réduits. De plus, le canal constituera un moyen de communication et de transport important vers le sud du Soudan. Le coût en est élevé, mais les résultats seront importants.

Vaches et ordinateurs

Dans des milliers de fermes d'Europe et d'Amérique du Nord, les ordinateurs sont devenus des équipements courants. Leur usage est apprécié surtout dans les fermes laitières, où ils contribuent à réduire les frais et à augmenter la production. Dans certains systèmes, les fermiers téléphonent à un ordinateur central pour indiquer en détail la production laitière et les besoins alimentaires des bêtes de leur élevage. Ou bien un micro-ordinateur est installé dans chaque ferme. Chaque vache porte à son cou un « répondeur électronique » qui émet un signal radio, grâce auquel l'ordinateur reconnaît chaque animal, et il enregistre pour chacun les quantités d'aliments consommés et de lait produit. Le poids de la vache est également enregistré,

Alimentation contrôlée par ordinateur

au moment où elle quitte le lieu de la traite, et l'ordinateur peut adapter la quantité d'aliments qu'elle recevra à sa production de lait. Un tel système peut augmenter de dix pour cent la production laitière annuelle. Il

permet également de surveiller la santé des animaux, en décelant immédiatement les baisses de poids ou de production laitière qui proviendraient d'une maladie, ou les retards de croissance des jeunes animaux.

Biotechnologie et agriculture

Les caractéristiques propres des différentes plantes sont déterminées par des groupes de composés chimiques appelés gènes. Des biologistes ont récemment mis au point des techniques pour modifier la structure des gènes et donc la façon dont les plantes croissent. Ils espèrent pouvoir combiner bientôt les gènes de deux plantes différentes. Il existe par exemple des plantes, comme le trèfle, qui sont capables de fabriquer leur propre engrais à partir de l'azote contenu dans l'air, et de s'en nourrir. Si l'on pouvait combiner ce gène avec ceux des céréales, on pourrait obtenir une

Épi de céréale (aliment)

Surface du sol

L'azote de l'air est fixé dans le sol et forme un engrais.

Une plante qui combinerait les caractères du blé et du trèfle pourrait pousser dans des sols pauvres, incultes jusqu'ici.

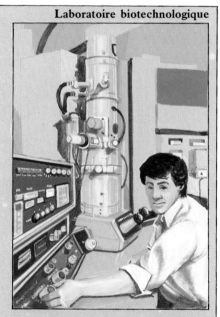

Laboratoire biotechnologique

plante très nourricière qui pousserait dans des sols pauvres, jusqu'ici impropres à la culture. Une autre technique nouvelle, déjà utilisée, est le clonage ou

production de plantes strictement identiques (ou clones), à partir de quelques cellules provenant d'un spécimen spécialement productif.

Culture mécanisée

Semailles

Dans les fermes modernes, des charrues remorquées par de grands tracteurs préparent le sol pour la culture du blé. Les plus grands de ces attelages mécaniques peuvent labourer cinquante hectares par jour, ce qui demanderait des semaines à un ancien attelage de chevaux. Les graines sont répandues par des machines à semer automatiques.

Semailles

Pulvérisations

Les jeunes pousses sont aspergées au moyen de produits chimiques, afin d'écarter les maladies et les parasites. Ces pulvérisations sont adaptées aux diverses variétés de blé, qui correspondent elles-mêmes aux différents types de sols. Plus tard, les plantes sont arrosées au moyen d'engrais et de produits chimiques réglant la croissance.

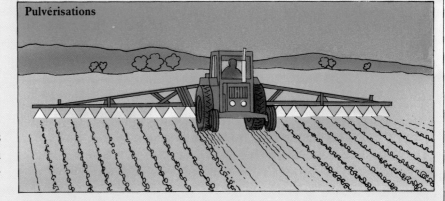

Pulvérisations

Moisson

Lorsque le blé est mûr, des moissonneuses-batteuses circulent dans les champs pour le récolter. Dans les immenses champs de blé du centre des États-Unis et du Canada (le Middle West), plusieurs moissonneuses-batteuses progressent côte à côte : elles coupent les tiges, récoltent les épis et les battent aussitôt, pour séparer les grains de la paille. La culture du blé, organisée ainsi de façon intensive et mécanisée, a augmenté considérablement la production.

Moisson

Médecine et technologie

Au cours des vingt dernières années, plusieurs progrès spectaculaires furent accomplis dans le monde de la médecine. Les médicaments les plus récents permettent de guérir de façon rapide et sûre des maladies qui tuaient autrefois des millions de personnes. Des techniques chirurgicales de pointe, telles que les transplantations d'organes, permettent de remédier à d'autres affections. À mesure que la science médicale progresse, les médecins comprennent de mieux en mieux le fonctionnement du corps humain et peuvent traiter de façon plus efficace ses maux et maladies.

Ce traitement dépend de deux éléments : le diagnostic exact du mal dont souffre le malade, et l'application d'un moyen efficace pour améliorer son état. Les médecins disposent actuellement d'outils très perfectionnés pour examiner le corps humain, ce qui leur permet de découvrir les maladies à leur début, à un stade où les traitements ont le plus de chances de réussir.

Comme dans de nombreux autres domaines de la technologie moderne, les ordinateurs interviennent de plus en plus dans la pratique médicale. Les résultats d'un examen effectué au moyen de rayons X ou de techniques de scanner (balayage), utilisant des radiations ou des ultrasons, peuvent être analysés par un ordinateur : celui-ci fournit une image beaucoup plus détaillée des parties du corps humain examinées par ces moyens. Un ordinateur peut même analyser les battements de cœur à distance, par téléphone.

Dans la salle d'opération, les ordinateurs fournissent des informations importantes concernant le patient : battements de cœur, température, cadence respiratoire. Les chirurgiens peuvent effectuer de la microchirurgie très précise grâce à un « bistouri à laser », qui découpe, détruit ou soude les tissus. Les patients peuvent recevoir des équipements électroniques tels qu'un stimulateur cardiaque, ou un autre instrument qui injectera dans le sang certains médicaments, à des moments déterminés et en quantité précise.

Presque toutes les branches de la médecine utilisent des ordinateurs, et ceux-ci sont même entrés dans la pratique du médecin de famille. Un micro-ordinateur peut stocker beaucoup plus d'informations sur les maladies et leurs symptômes que la mémoire du médecin, et il constitue donc une aide pour le diagnostic. L'ordinateur ne remplacera pas le médecin, mais il lui évitera des pertes de temps et sera un outil puissant de lutte contre les maladies.

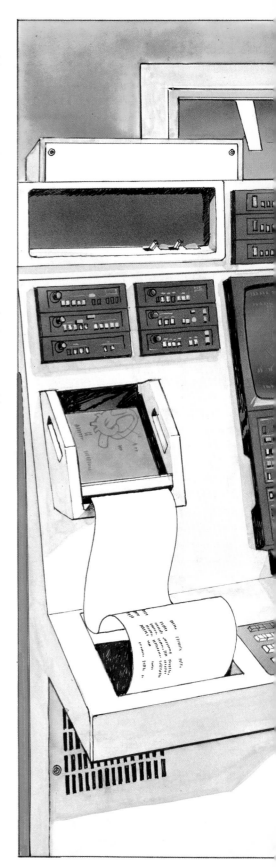

▷ L'illustration représente une des techniques les plus récentes de diagnostic des maladies cardiaques. Une substance opaque aux rayons X est injectée dans une veine qui aboutit au cœur, et son écoulement peut être suivi par un appareil spécial. Ceci permet un examen du cœur à l'aide d'un ordinateur : il se marque sur l'écran de visualisation de la gauche de l'image, et est transcrit en même temps sur une bande de papier sortant d'une imprimante.

Chirurgie au laser

Lumière ordinaire
(longueurs d'ondes diverses
et mélangées)

Lumière laser
(une seule longueur d'onde)

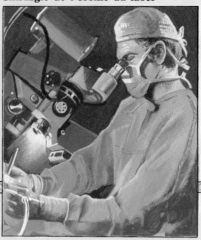

Chirurgie de l'oreille au laser

Les lasers produisent de fins pinceaux de lumière très intense, dont les ondes sont de même longueur et parfaitement accordées entre elles. Au contraire, la lumière ordinaire est un mélange d'ondes de longueurs diverses et non accordées. Il en résulte que la lumière laser ne se diffuse pas, ne perd pas son énergie, et peut être concentrée de façon précise sur une très petite surface. Ainsi, un « bistouri à laser » peut « brûler » un tissu malade, sans endommager le tissu sain voisin. Aucune partie de l'équipement laser ne touche le malade, et son usage est donc parfaitement stérile. Les lasers sont devenus un équipement standard pour la chirurgie de l'œil et de l'oreille, et pour d'autres interventions très délicates.

Techniques de scanner

Les rayons X étaient autrefois le seul moyen permettant aux médecins de voir l'intérieur du corps humain. Mais récemment, diverses techniques de scanner (ou examen par balayage) ont été mises au point. Une de ces méthodes mesure la quantité de rayons X absorbée par chaque tissu. Un ordinateur analyse ces mesures et peut fournir une vue en coupe du corps humain, sous tous les angles. Des images semblables peuvent être obtenues au moyen d'ultrasons (sons suraigus et inaudibles pour l'homme). Ces ultrasons sont réfléchis de façon différente selon les densités diverses des tissus. Les réflexions, analysées par un ordinateur, servent à constituer des images en couleurs, que les médecins peuvent examiner sur un écran vidéo.

Scanner à ultrasons

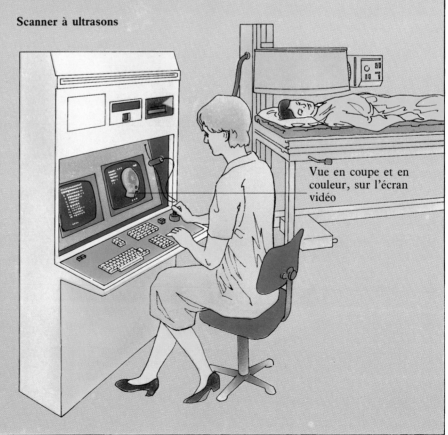

Vue en coupe et en couleur, sur l'écran vidéo

Stimulateurs cardiaques

Une maladie cardiaque assez courante est l'irrégularité des battements du cœur. On peut y remédier par l'implantation dans la poitrine d'un stimulateur cardiaque ou « pacemaker » : il fournit des impulsions électriques régulières, qui stimulent et régularisent les contractions du cœur. Le malade peut dès lors reprendre une vie normale. Les plus récents stimulateurs cardiaques émettent des indications sur le fonctionnement du cœur, grâce auxquelles le médecin suit facilement l'évolution du malade. Les stimulateurs récents sont actionnés par des piles qui ont une durée de vie de huit ans.

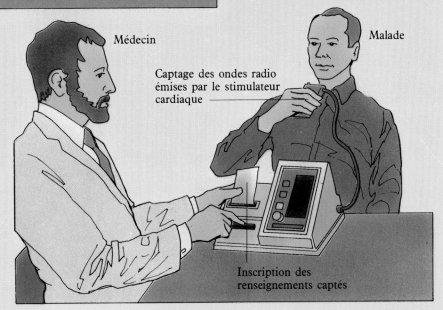

Médecin

Malade

Captage des ondes radio émises par le stimulateur cardiaque

Inscription des renseignements captés

Médicaments de l'avenir

Les médecins disposent aujourd'hui de milliers de médicaments différents pour traiter les diverses maladies. Certains de ces produits détruisent les micro-organismes qui causent les maladies, tandis que d'autres remédient à des symptômes et états maladifs, comme dans le cas du diabète. L'organisme du diabétique n'est plus capable d'élaborer une hormone indispensable, l'insuline, qui règle le taux de sucre contenu dans le sang. Il doit donc recevoir des injections d'insuline, pour pouvoir mener une vie relativement normale. Des expériences ont été effectuées dans le laboratoire spatial européen, placé sur orbite par la navette spatiale, concernant la fabrication de médicaments dans l'espace. Elles se sont révélées positives :

Expérimentation de nouvelles techniques de fabrication de médicaments

l'absence de pesanteur rend en effet beaucoup plus facile la séparation de substances médicamenteuses existant dans la nature, comme l'insuline. Les nouvelles techniques de fabrication spatiale pourraient fournir des médicaments plus puissants dans un proche avenir.

Intérieur de la navette spatiale

Glossaire

Clonage. Technique utilisée par les biologistes pour produire des plantes ou des animaux parfaitement identiques, ou clones. Ces plantes proviennent par exemple d'un spécimen très productif.

Conception à l'aide d'ordinateur. Emploi de l'aptitude des ordinateurs à tracer des dessins pour créer et tester des produits.

Craquage. Procédé physico-chimique qui brise les éléments lourds du pétrole brut, tel le bitume, en éléments plus légers, qui peuvent être utilisés comme combustible ou pour la fabrication de plastiques ou d'autres produits chimiques.

Fusion nucléaire. Union de deux atomes d'hydrogène pour former un atome d'hélium, plus lourd, avec dégagement d'une grande quantité d'énergie. Cette réaction produit la chaleur du Soleil et la puissance destructrice de la bombe à hydrogène. Elle n'a pas encore pu être maîtrisée pour produire de l'électricité.

Gènes. Éléments contenus dans toutes les cellules vivantes, qui assurent la transmission de leurs caractères aux descendants.

Hormones. Substances chimiques des organismes végétaux et animaux qui contrôlent certains processus, tels que la croissance et le maintien du taux de sucre voulu dans le sang.

Hydro-électrique, énergie. C'est l'énergie produite par la force de l'eau, qui fait tourner des turbines, et celles-ci entraînent des génératrices qui produisent de l'électricité.

Infrarouges, rayons. Sorte de rayonnement invisible à l'œil humain et qui transmet de la chaleur. Il est de même nature que la lumière visible, mais ses ondes sont plus longues.

Laser. Appareil qui émet un faisceau concentré de lumière intense, dont les ondes sont d'une même longueur d'onde et accordées. Le mot est formé des initiales de mots anglais signifiant : « lumière amplifiée par stimulation d'émission de radiations ».

Masque photographique. Plaque de verre qui porte, en négatif, le tracé d'une des couches de circuits électriques qui constitueront un microcircuit. Il est posé sur une plaquette de silicium, et la lumière qui le traverse marque le circuit sur la plaquette.

Radar. Équipement qui émet des ondes radio et capte leur réflexion sur des objets tels que des avions ou des bateaux, pour les repérer et les localiser. Le mot est l'abrégé de mots anglais signifiant : « détection et localisation par radio ».

Rayons X. Rayonnement électromagnétique, invisible à l'œil humain, et dont les ondes sont beaucoup plus courtes que celles des rayons infrarouges et de la lumière ordinaire. Les rayons X ont un rôle important dans le diagnostic médical.

Réacteur, cœur du. Partie centrale du réacteur, où se trouve le combustible nucléaire dans lequel se produisent les réactions.

Silicium, plaquette de. Lamelle carrée ou rectangulaire d'une matière proche du verre, sur laquelle des centaines de circuits électriques peuvent être fixés, en plusieurs couches.

Ultrasons. Vibrations matérielles plus rapides que les sons audibles par l'homme. Ils sont réfléchis différemment par les divers tissus du corps, et peuvent servir au diagnostic médical. Leurs réflexions sont captées et traitées électroniquement, pour produire les images des organes internes permettant un diagnostic.

Index